Tristan
en Isolde

Dit boek heeft het keurmerk Makkelijk Lezen

Lezen voor Iedereen / Uitgeverij Eenvoudig Communiceren
www.lezenvooriedereen.be
www.eenvoudigcommuniceren.nl

Tristan en Isolde maakt deel uit van de reeks *Beroemde Liefdesverhalen*,
de mooiste liefdesklassiekers, naverteld in gewone taal.

Bewerking: Marian Hoefnagel
Redactie en opmaak: Eenvoudig Communiceren
Foto omslag: ANP
Druk: Easy-to-Read Publications

ISBN 978 90 8696 069 9
NUR 286

Over Tristan en Isolde

Het verhaal van Tristan en Isolde is heel oud.
Niemand weet precies hoe oud.
Misschien leefde Tristan in de tijd van de grote
koning Arthur.
Arthur was een machtige koning in Engeland,
in de zesde eeuw.
Dat is dus 1500 jaar geleden!

In die tijd werden verhalen niet opgeschreven.
Ze werden verteld. En doorverteld. En weer doorverteld.
In de 13e eeuw werd het verhaal van Tristan en Isolde
pas opgeschreven.
En zo kennen wij het.

Het is een verhaal over ware liefde.
Hoe heerlijk het is om die te beleven.
En hoe moeilijk het is om die liefde op te geven.
Maar soms moet het.
Omdat er belangrijkere dingen zijn.

Tristan en Isolde is een verhaal waarin veel wordt
gevochten.
Met zwaarden, met pijl en boog en met blote handen.
Tegen vijanden en tegen monsters.
Want dat vond men prachtig in die tijd.

Maar het belangrijkste is toch de liefde tussen
Tristan en Isolde.
Een heftige liefde. Een verboden liefde.

Marian Hoefnagel

In de tekst komt een aantal moeilijke woorden voor.
Deze woorden zijn <u>onderstreept</u>. In de woordenlijst
op pagina 86 lees je wat de woorden betekenen.

De zeereizen van Tristan

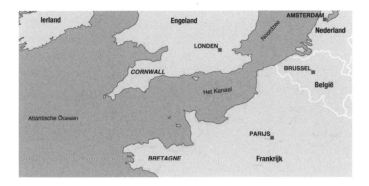

- Van Bretagne naar Cornwall *(ontvoerd door Noren)*

- Van Cornwall naar Bretagne *(om koning van Bretagne te worden)*

- Van Bretagne naar Cornwall *(om koning Mark te helpen)*

- Van Cornwall naar Ierland *(om Isolde te halen)*

- Van Ierland naar Cornwall *(met Isolde terug naar koning Mark)*

- Van Cornwall naar Bretagne *(afscheid van Isolde)*

Een triest begin

Het leven begint niet goed voor de kleine Tristan.
Hij is de zoon van de koning en de koningin van
Bretagne. Dat wel.
Maar net nadat hij is geboren, sterft zijn moeder.
En een paar uur voor zijn geboorte is zijn vader al
gedood. In een gevecht.

De baby zonder ouders wordt Tristan genoemd.
Het is de laatste wens van zijn moeder.
'Tristan is een mooie naam', zegt ze zacht.
'Want mijn zoon zal veel verdriet in zijn leven hebben.
Maar daardoor zal hij de liefde leren kennen.
De ware liefde, zoals ik die ook heb gekend.'
En dan sterft de mooie koningin van Bretagne.
Op dezelfde dag als haar man, de man die zij liefhad.

De kleine Tristan blijft niet in het kasteel van zijn vader
wonen.
Rohand neemt de jongen in huis.
Rohand is een goede vriend van de koning.
En hij heeft de koningin beloofd om voor haar baby te
zorgen.
Rohand heeft zelf drie zoons.
Tristan wordt opgevoed als zijn vierde zoon.

Rohand vertelt aan niemand dat Tristan de prins van
Bretagne is.

Hij doet alsof Tristan een kind van hemzelf is.
Ook Tristan weet niet beter.
Zijn hele jeugd denkt hij dat Rohand zijn vader is.

Het is een gelukkige jeugd.
Tristan leert paardrijden en vissen.
Hij leert met pijl en boog schieten en jagen.
Hij leert met een zwaard vechten en schaken.
En in alles wat hij doet is hij even goed.
'Het is een jongen met veel talenten', zeggen de mensen.
'En hij is ook altijd vriendelijk en beleefd.
Het lijkt wel een koningskind.'
Ze weten niet dat Tristan ook echt het kind van een
koning is.

Een schaakspel

Op een dag komt er een Noors schip in Bretagne aan.
De Noren verkopen vogels: valken en haviken.
De zonen van Rohand willen er naartoe.
Ze kunnen wel een paar goede valken gebruiken.
Voor de jacht.
En natuurlijk wil Tristan mee.

De zonen van Rohand onderhandelen lang over de prijs
van de vogels.
Tristan heeft er gauw genoeg van.
Hij loopt een beetje rond op het schip.
Een man zit achter een mooi schaakbord.
Hij speelt een partijtje schaak tegen zichzelf.
'Wat een prachtig schaakspel', zegt Tristan.
De Noor kijkt even naar Tristan.
Hij ziet de zware gouden armband die Tristan om heeft.
'De schaakstukken zijn van ivoor', zegt hij.
'Ik wil wel met je schaken.
Jij zet je armband in, ik het schaakspel.'

En zo zitten Tristan en de Noor even later te schaken.
Tristan speelt goed, maar de Noor ook.
En als de zon ondergaat, is de partij nog niet afgelopen.
De broers worden ongeduldig.
'Ga maar naar huis', zegt Tristan.
'Ik kom later wel, met het schaakspel.'
En de broers vertrekken met de valken.

Tristan gaat helemaal op in het schaakspel.

Hij heeft niet door dat de Noren wat van plan zijn.

De touwen worden voorzichtig losgemaakt.

En de boot drijft van de kant weg.

Het is inmiddels al aardig donker.

Tristan merkt niet dat het schip wegvaart.

Hij merkt niet dat hij ontvoerd wordt.

De ontvoering

Eindelijk is de schaakpartij afgelopen.
'Schaakmat!', roept Tristan. 'Ik heb gewonnen.'
Maar de Noor schudt zijn hoofd.
'O nee', zegt hij. 'Ik heb gewonnen.
Kijk maar. Wij hebben jou geschaakt.'
En hij wijst.
Vaag ziet Tristan het land in de verte.
Hij voelt nu ook dat ze varen.
Ze zijn midden op zee.

Ik kan nog wel ontsnappen, denkt hij.
Hij neemt een aanloopje en wil over de reling springen.
Hij is een goede zwemmer.
Hij zal de oever wel bereiken.
Maar hij wordt vastgegrepen door een paar sterke armen.
'Dat gaat niet lukken, makker', zegt een van de Noren.
'Jij bent veel te kostbaar voor ons.
Wij gaan veel geld voor je vragen.'
Dan wordt Tristan met touwen vastgebonden.
En opgesloten in het ruim van het schip.

Wat moet ik doen?, denkt Tristan wanhopig.
Maar hij kan niets doen.
Zijn handen en voeten zijn vastgebonden.
Hij kan alleen maar liggen rollen in het ruim, beneden in het schip.
Naar links en weer naar rechts.

Met de golven mee.
Tristan valt bijna in slaap van dat gerol.
Maar ineens is hij klaarwakker.
Hij rolt steeds heftiger heen en weer.
Het is harder gaan waaien en de golven worden steeds hoger.
Het schip gaat vreselijk tekeer. Urenlang.

'Gooi de jongen overboord', schreeuwt een Noor.
'Hij brengt ons ongeluk.
Als het zo doorgaat, zinkt het schip.'

Een list

Twee mannen komen Tristan halen.
Ze brengen hem naar boven, aan dek.
De kapitein van het schip kijkt even naar de jongen.
Hij gelooft niet dat de storm de schuld van de jongen is.
Maar de matrozen weten het zeker.
Zij willen dat Tristan overboord wordt gegooid.
Tristan verzint meteen een goed antwoord.

'Gooi mij niet in zee', roept hij tegen de kapitein.
'Ik ben een godenzoon.
De goden zullen woedend zijn als ik sterf.
Ze zijn nu al zo kwaad, omdat jullie mij ontvoerd hebben.
Laat mij vrij, dan houdt de storm op.
Laat mij leven, dan zal jullie niets gebeuren.'

De kapitein wil niet naar Tristan luisteren.
Wat een flauwekul, denkt hij. Een godenzoon, ja.
Dat kan iedereen wel zeggen.
Maar de matrozen geloven Tristan.
'Laat hem vrij, kapitein', smeken de mannen.
'Laat hem vrij en laat ons leven.'

'Goed', zegt de kapitein.
Hij begrijpt dat hij anders ruzie krijgt met zijn mannen.
En alleen kan hij het schip niet besturen.
Hij snijdt de touwen om Tristans handen en voeten door.
De zee blijft nog een hele tijd onrustig.

Maar de storm wordt minder.
En na een paar uur gaat de wind liggen.

De kapitein laat het schip naar het land toe varen.
Vlak bij de kust wordt Tristan uit de boot gezet.
Hij heeft geen idee waar hij is.
Hij heeft ook geen idee wat hij nu moet doen.

De jagers

Tristan loopt dagen door het bos.
Zo af en toe vindt hij wat te eten.
Een paar vruchten en noten.
Maar veel is het niet. En al gauw heeft hij honger.
Hij moet bij mensen zien te komen.
Mensen die hem kunnen helpen.
Mensen die hem eten kunnen geven.

Op een dag ziet hij een groep jagers.
Ze gaan achter een wild zwijn aan.
Het dier rent voor zijn leven, recht op Tristan af.
Tristan pakt snel zijn pijl en boog.
Gelukkig heeft hij die nog steeds bij zich.
Hij mikt en zwoef! Daar vliegt de pijl uit de boog.
Recht in het hart van het zwijn.
Het beest valt meteen dood neer.

Verbaasd staan de jagers stil.
Waar kwam die pijl vandaan?
Ze kijken ongerust om zich heen.
En dan stapt Tristan uit de struiken.
'Goedemiddag', zegt hij.
'Mijn naam is Tristan.
Ik ben een koopman uit Bretagne.
Mijn schip is vergaan voor de kust.
En nu ben ik op zoek naar onderdak.'

De jagers kijken elkaar even aan.
Die Tristan ziet eruit als een sterke jongen.
En hij kan prima met pijl en boog omgaan.
Dat hebben ze net gezien.
'Ga met ons mee naar koning Mark', zeggen ze.
'Ga mee naar Tintagel, het kasteel waar hij woont.
Koning Mark kan altijd goede vechters gebruiken.
Koning Mark zal u zeker onderdak geven.'

En zo gaat Tristan mee naar Tintagel.
Het kasteel van Koning Mark.

Koning Mark

Ze vinden elkaar direct aardig, Tristan en koning Mark.
En dus vertelt Tristan de waarheid.
Dat hij geen koopman is.
Dat hij door Noren is ontvoerd.
En dat zijn vader en broers niet weten wat er met hem
is gebeurd.
Meteen stuurt koning Mark een boodschapper naar
Bretagne.
Om Rohand te laten weten dat zijn zoon nog leeft.
En dat hij in het kasteel van koning Mark is.

Rohand luistert verbaasd naar de boodschapper.
Tristan bij koning Mark?
Dat is toevallig.
Koning Mark is de broer van Tristans moeder.
Tristans echte moeder die gestorven is bij de geboorte
van haar zoon.
Nu is het tijd om Tristan te vertellen wie hij werkelijk is,
denkt Rohand.
En hij reist met de boodschapper mee terug naar
Tintagel.

'Vader', roept Tristan blij als hij Rohand ziet.
'Noem me maar Rohand', zegt die.
En dan vertelt hij Tristan wie hij werkelijk is.
Hij vertelt Tristan dat hij de prins van Bretagne is.
En dat koning Mark zijn oom is.

Daarom kunnen we zo goed samen opschieten,
denkt Tristan.
En aan Rohand vraagt hij: 'Waarom hoor ik dat nu pas?'

'Ik heb het altijd geheim gehouden, Tristan', zegt Rohand.
'Jouw vader is vermoord door Morgan.
Morgan is nu de koning van Bretagne.
Het was beter dat hij niets wist van jouw bestaan.
Want anders was hij ook achter jou aangegaan.
Een kleine prins is nu eenmaal makkelijk te vermoorden.
Maar nu ben je oud en sterk genoeg om te vechten
tegen Morgan.
Want jij bent de echte koning van Bretagne.'

'Mmm', zegt Tristan.
'Ik ben maar in mijn eentje.
Hoe moet ik het kasteel van mijn vader veroveren?'
Maar dan zegt koning Mark: 'Mijn soldaten zullen je
helpen, Tristan.
Met hun hulp zul jij koning van Bretagne worden.'

Koning van Bretagne

En zo reist Tristan weer terug naar Bretagne.
Hij vindt het jammer om weg te gaan bij koning Mark.
En koning Mark vindt dat ook.
Hij heeft zelf geen kinderen.
Koning Mark wil graag dat Tristan na hem koning wordt.

Maar veel mannen in Tintagel vinden het best zo.
Ze vonden het vervelend dat Tristan er was.
En dat koning Mark hem als opvolger wilde.
Zij vonden Tristan maar een indringer.
Nee, ze zijn blij dat hij weggaat.

De strijd in Bretagne gaat goed voor Tristan.
De soldaten van koning Mark zijn dappere strijders.
En al snel is het kasteel van Tristans vader veroverd.
Tristan is nu de koning van Bretagne!

Maar Tristan kan niet lang van zijn overwinning genieten.
Al snel komt er vervelend nieuws uit <u>Cornwall</u>, van
koning Mark.
Boodschappers vertellen dat koning Mark is aangevallen.
Door de Ieren.
De Ieren hebben een machtig leger.
En koning Mark heeft niet zo veel soldaten.
Want zijn soldaten zijn met Tristan meegegaan.
Koning Mark heeft daardoor de strijd verloren.

Nu moeten de mensen uit Cornwall belasting betalen.
Veel belasting, aan de Ieren.
Goud en zilver, ieder jaar.
Maar dat is nog niet het ergste.
De Ieren willen ook ieder jaar 1000 kinderen van de
mensen uit Cornwall.
Jongens en meisjes.
Zij moeten als slaven in Ierland werken.
Dat vindt koning Mark verschrikkelijk.
Hij vraagt Tristan om hulp.

Tristan denkt niet lang na.
Hij gaat koning Mark helpen.
Met de soldaten van koning Mark vaart hij weer terug
naar Cornwall.

Een dapper besluit

Ze komen precies op tijd.
De leider van de Ieren heeft besloten tot een
tweegevecht.
Hijzelf tegen een strijder uit het leger van koning Mark.
De leider van de Ieren is een grote en sterke man.
Hij weet dat geen enkele strijder van koning Mark sterk
genoeg voor hem is.
En koning Mark zelf ook niet.
Koning Mark is een machtig man. Maar geen vechter.

Koning Mark is namelijk kreupel.
Als kind is hij van zijn paard gevallen.
Hij heeft toen zijn been gebroken.
En dat is nooit meer goed gekomen.
Koning Mark loopt met een stok.
Iedere strijd zal hij verliezen.

Tristan is ook geen vechter.
Maar koning Mark is zijn oom en zijn vriend.
Hij kan hem niet in de steek laten.
'Ik zal vechten tegen de leider van de Ieren', zegt hij.
De grote Ier kijkt hem verbaasd aan.
Ik maak gehakt van dat jongetje, denkt hij.
En hij zegt: 'Heel goed.
Morgen bij zonsopgang zien wij elkaar.
Op het eilandje voor de kust van Tintagel.'
En dan gaat hij weg.

Koning Mark is er niet blij mee.

Tristan gaat verliezen, denkt hij.

Tristan is lang niet zo sterk als die Ier.

Maar dat zegt hij niet.

Hij zegt: 'Je moet slim zijn.

Vertrouw niet op je kracht. Maar op je slimheid.'

En Tristan knikt.

Dat had hij zelf ook al bedacht.

De volgende ochtend, heel vroeg, vaart Tristan naar het eiland.

Zijn boot legt hij niet vast.

Er komt toch maar één man terug, denkt hij.

We hebben niets aan twee boten.

En zijn boot drijft langzaam naar open zee.

Het moeras

Tristan vecht dapper.
Maar de Ier is enorm sterk.
Hij heeft nog maar drie keer met zijn zwaard geslagen.
En al twee keer is Tristan geraakt.
Zijn arm kan hij bijna niet meer bewegen.
Ik moet iets bedenken, denkt Tristan.
Want zo gaat het helemaal mis.

Tristan kent het eiland wel.
Hij is er eens met koning Mark geweest.
Hij weet dat er een moeras is.
Een gevaarlijk, akelig moeras.
Daar rent hij naartoe.
En de grote Ier rent achter hem aan.

In het moeras zakt de enorme man steeds weg.
Daardoor slaat hij vaak mis.
Tristan is niet zo zwaar.
Hij springt soepel van de ene boomstam naar de andere.
En hij raakt zijn tegenstander, keer op keer.

Uren zijn de mannen aan het vechten.
Ze worden beiden erg moe.
Maar even rusten is er niet bij.
Dan weer wordt Tristan geraakt, dan weer de Ier.
Ze hebben allebei grote wonden. En veel pijn.
Maar opgeven, dat gaat niet.

En dan ineens, ziet Tristan zijn kans.

De Ier heeft hard geslagen.

Maar Tristan is op tijd opzij gesprongen.

Het zwaard van de Ier zit diep in een stuk hout.

Hij moet het er met veel kracht uittrekken.

Tristan wacht niet af. Hij slaat toe.

Met twee handen heft hij zijn zwaard op.

En laat het neerkomen op de helm van zijn tegenstander.

De man schreeuwt, de helm scheurt, zijn schedel kraakt.

Uitgeput zakt Tristan neer.

De Ierse boot

Lange tijd ligt Tristan bij te komen.
De zon gaat al bijna onder. Hij moet nu echt terug.
Hij merkt dat hij niet meer kan lopen.
Kruipend gaat hij naar het strand en zoekt hij zijn boot.
Dan herinnert hij zich dat hij de boot heeft laten
wegdrijven.
Hij hijst zich in de boot van de Ier en maakt de touwen
los.
Dan valt hij flauw. Van uitputting en van pijn.

Op het land staat iedereen vol spanning te wachten.
Welke boot zou terugkeren?
Die van de Ier of die van Tristan?
Wie zou het gevecht overleefd hebben?
Het is bijna donker als in de verte een bootje te zien is.
Ze turen en turen. Welke boot is het?

'Het is onze boot', juichen de Ieren.
'Wij hebben gewonnen. Wij nemen jullie kinderen mee.'
En koning Mark kijkt somber naar het bootje.
Het is niet de boot van Tristan die terugkomt ...

'Het is de Ierse boot, maar Tristan zit erin', schreeuwt
iemand.
De Ieren houden plotseling op met juichen.
Dat zal toch niet waar zijn?
Ze kijken en kijken nog eens.

Dan zien ze het ook.
Het is niet de leider van de Ieren die in de boot zit.
Het is Tristan die over het roer hangt.
Hij beweegt niet.

Koning Mark kan zijn tranen niet inhouden
Tristan heeft gewonnen, maar is toch gestorven.
Dat is wel heel triest.

'Tristan is gewond, maar hij leeft', roept een knecht.
Hij is de zee ingegaan, naar de boot toe.
En voorzichtig tilt hij Tristan uit de boot.
En brengt hem naar het kasteel.

Een plan voor vrede

Tristan heeft lang nodig om beter te worden.
Maar na een paar weken is hij genezen.
Koning Mark is daar heel blij over.
'Je wordt mijn opvolger', zegt hij.
'Koning van Bretagne en koning van Cornwall zul je zijn.'
Maar dat horen de mannen in Tintagel niet graag.
'We moeten iets doen', fluisteren ze tegen elkaar.
'Hoe krijgen we Tristan weg?'

Intussen zijn de Ieren nog steeds in Cornwall.
Hun leider is dood, maar ze geven het nog niet op.
Ze hebben een nieuwe leider gekozen.
En ze maken zich klaar om opnieuw te gaan vechten.

'Het moet ophouden, koning Mark', zeggen de mannen
in Tintagel.
'Er moet vrede komen. We raken zo al onze soldaten kwijt.'
De koning knikt.
'Wij hebben een plan', zeggen de mannen.
En ze vertellen van de Ierse koning.
Die maar één dochter heeft: Isolde.
Koning Mark moet met Isolde trouwen.
Dan zal er vrede zijn tussen Ierland en Cornwall.
'Ja', zegt Koning Mark. 'Dat plan is goed.
Maar hoe krijgen we Isolde zover dat ze ja zegt?'
'Stuur Tristan', zeggen de mannen.
'Laat hem Isolde voor u winnen.'

Koning Mark aarzelt.

Dat is een moeilijke opdracht voor Tristan.

Een gevaarlijke opdracht ook.

De Ieren zullen niet blij zijn met Tristan.

Hij is de moordenaar van hun dappere leider.

'Hij moet zich verkleden', zeggen de mannen.

'Zo kan hij ongemerkt kijken of Isolde geschikt is voor u.'

Koning Mark knikt weer.

Ja, Tristan moet maar gaan.

Hij wil eigenlijk wel trouwen.

Wie weet zal Isolde hem een zoon schenken!

Isolde

En zo komen we dan eindelijk bij Isolde.
Isolde van Ierland, de enige dochter van de koning
van Ierland.
Isolde is een mooie vrouw.
Ze is groot, met blonde haren en blauwe ogen.
Ze heeft een prachtige, blanke huid.
En ze is behoorlijk mollig.
In die tijd vinden mannen dat prachtig.
Veel mannen willen dan ook graag met haar trouwen.
Ze komen uit heel Ierland om haar hand te vragen.

Maar Isolde wijst elke man af.
'Ik wil een echte man', zegt ze tegen haar vader.
'Het zijn allemaal echte mannen', antwoordt haar vader.
'Ik begrijp je niet.'
'Ik wil een man van wie ik houd', zegt Isolde.
'Je zult van je man gaan houden. Zo gaat dat altijd',
antwoordt haar vader.
'Wat wil je nou toch?'
'Ik wil de ware liefde leren kennen', zegt Isolde.
'Kind, die bestaat niet', antwoordt haar vader.
'O jawel', zegt Isolde. 'De ware liefde bestaat.
Misschien niet hier in Ierland. Vrouwen zijn hier niets
waard. Ze worden verkocht, of ontvoerd, of verdobbeld.'

De koning schudt zijn hoofd.
'Dat geldt toch niet voor jou', zegt hij.

'O jawel', zegt Isolde weer.
'Die mannen die met mij willen trouwen, hè?
Die willen míj niet. Die willen koning van Ierland worden.
En u, u verkoopt mij, om een kleinzoon te krijgen.
Een troonopvolger is belangrijker dan ik.'

'Dat is niet waar', zegt de koning.
'Ik wil dat je trouwt met een goede man.
Je kunt niet alleen blijven, Isolde.
Een vrouw heeft een man nodig om haar te beschermen.'

Ierland

Tristan is naar Ierland gevaren.
Om Isolde voor koning Mark te winnen.
Hij weet nog niet hoe, maar hij is vol goede moed.
Opgewekt loopt hij over de Ierse wegen.
Niemand weet wie hij is.
En dat is maar goed ook.

Tristan ziet er niet uit als de koning van Bretagne.
Hij heeft eenvoudige kleren aan.
En hij heeft geen zwaard of dolk bij zich.
Hij heeft wel een instrument, een soort kleine gitaar.
Als kind heeft hij daarop leren spelen.
En nu gaat hij als minstreel naar de koning.

De minstreel wordt ontvangen in het kasteel van de koning.
Ze zijn altijd enthousiast als er een minstreel langskomt.
Want er is niet veel te doen in een kasteel in die tijd.
Een minstreel die liedjes zingt; dat vindt iedereen erg leuk.
's Avonds zit de hele balzaal dan ook vol.
Alle edelen zijn er. En de koning natuurlijk. En Isolde.

Tristan zingt een droevig lied.
Hij zingt het verhaal van zijn ouders.
Zijn moeder die stierf bij de geboorte van haar zoon.
Zijn vader die stierf in een gevecht. Op dezelfde dag.

Hij vertelt van hun grote liefde.
En dat hij daaruit werd geboren.

Af en toe kijkt hij naar Isolde.
Wat een prachtige vrouw!
Ze luistert aandachtig naar zijn lied.
En hij ziet tranen over haar wangen lopen.
Zie je wel, dat het bestaat, denkt Isolde. Ik wist het wel.
En deze minstreel weet het ook. De ware liefde bestaat
echt.

Maar de edelen vinden het maar niets, dat lied.
Zij willen horen over gevechten, over oorlog en
overwinning.

De aarde bewoog

Als Tristan klaar is met zijn liederen, komt Isolde op
hem af.
Tristan kijkt naar de grote, mooie prinses.
Hoe dichter ze bij hem komt, hoe mooier hij haar vindt.
Dan staat ze voor hem.
Hij staat even te wankelen op zijn benen.
Dan maakt hij een diepe buiging voor de prachtige
prinses.
'Minstreel', zegt ze zacht.
'Waar heeft u de woorden gevonden voor uw eerste lied?'
'In mijn hart, prinses', antwoordt Tristan.
'En is het een waar lied, minstreel?', vraagt Isolde verder.
'O ja, prinses', antwoordt Tristan.
'Het is het verhaal van de koning en de koningin van
Bretagne.
Toen zij elkaar liefhadden, toen ...'
Tristan aarzelt.
'Wat?', vraagt Isolde ongeduldig.
'Zeg me, minstreel, wat gebeurde er toen?'

'De aarde bewoog, prinses. En de zee zong een lied.
Voor een moment was de wereld niet dezelfde.
Voor een moment bestond het paradijs.'
'Dank u, minstreel', zegt Isolde.
'U heeft mijn hart geraakt. Dat is nog nooit iemand
gelukt.'
En met tranen in haar ogen gaat Isolde de balzaal uit.

Ontroerd loopt Tristan terug naar zijn boot.

O, Isolde, denkt hij. Wat zou ik je graag voor mezelf hebben.

Maar dat kan niet.

Tristan moet Isolde halen voor koning Mark, zijn oom en vriend.

Hij weet zeker dat het zal lukken.

Maar makkelijk zal het niet zijn.

De koning heeft Isolde beloofd aan de dapperste ridder.

De man die de bende van Ghwelm zal verslaan, zal met Isolde trouwen.

De bende van Ghwelm ...

Tristan heeft er wel van gehoord.

Het is een gevaarlijke roversbende, die in de moerassen woont.

Niemand krijgt ze ooit te pakken.

Want de moerasmonsters beschermen de rovers.

De opdracht

Tristan is weer op weg naar het kasteel van de koning
van Ierland.
Maar niet als minstreel, dit keer.
Hij heeft zijn zwaard bij zich en zijn pijl en boog.
Hij heeft zijn schild bij zich en zijn helm op.
Hij gaat als ridder naar het kasteel.
Hij gaat de hand van Isolde winnen.
Hij gaat de bende van Chwelm verslaan.

De koning is verbaasd als hij Tristan ziet.
Tristan heeft zijn helm dichtgeklapt.
De koning weet niet wie hij voor zich heeft.
'Ik zal de bende van Chwelm verslaan', zegt Tristan.
'Dat is prachtig', zegt de koning.
'Maar wie bent u, onbekende ridder?'

'Ik kom van ver', antwoordt Tristan.
'Niemand kent mij hier.
En dat wil ik graag zo houden.
Als ik terugkom uit het moeras, dan zeg ik u mijn naam.
En als ik niet terugkom, dan hoeft niemand mijn naam te
weten.'

'Mmmm', zegt de koning.
'U weet wat u wint, als u de bende van Chwelm verslaat?'
'O ja, heer', antwoordt Tristan.
'Uw schone dochter Isolde zal dan de mijne zijn.

Voor haar en alleen voor haar zal ik het moeras in gaan.
Ik leef of sterf voor de liefde van uw dochter.'
De koning knikt.
'Dan hebben we elkaar goed begrepen', zegt hij.
'Ga nu, onbekende ridder.
Ga naar het moeras en versla de bende van Chwelm.'
Tristan buigt voor de koning.
Dan verlaat hij het kasteel.

Nu moet ik alweer in een moeras vechten, denkt Tristan.
Maar de vorige keer is het goed afgelopen.
Dus wie weet, heb ik deze keer ook geluk.

Een moerasmonster

Tristan loopt een hele tijd door de velden.
Hij is op weg naar het moeras van Chwelm.
Ineens zakken zijn voeten weg in de modder.
Ha, denkt Tristan. Hier zal het zijn.

Hij doet zijn helm af en legt zijn schild en zwaard op
de grond.
Dat is allemaal veel te zwaar.
Alleen met zijn dolk en pijl en boog gaat hij op pad.
Langzaam loopt hij door het water.
Op zoek naar een rover van de bende van Chwelm.
Het is niet echt stil in het moeras.
Vogels kwetteren, salamanders ritselen.
Dan ziet hij een rover.
De rover merkt niet dat Tristan naar hem toe komt.
Maar dan ineens kijkt hij om.
Tristan duikt gauw onder water.
Hij hoopt maar dat de man hem niet heeft gezien.

Even later komt Tristan weer boven water.
Hij schuilt achter een bosje gras.
Dan pakt hij zijn pijl en boog en flang!
De pijl suist door de lucht.
De rover ziet hem niet eens aankomen.
Zonder een geluid te geven valt hij neer.
Zo, denkt Tristan. Dat is één.
En hij gaat op zoek naar de volgende rover.

Achter Tristan aan zwemt, heel stil, een groot beest.

Een beest dat bijna niet voorkomt in Ierland.

Maar in het moeras van Chwelm zitten er een paar.

Ze worden de monsters van Chwelm genoemd.

Tristan heeft niets in de gaten.

Hij heeft nu vijf rovers gedood.

Allemaal met zijn pijl en boog.

Hij heeft nog maar een paar pijlen over.

Nu moet ik eens wat met mijn dolk gaan doen, denkt hij.

Hij haalt zijn dolk tevoorschijn.

En hij kan hem meteen gebruiken.

Want net op dat moment valt het beest hem aan.

Gevecht met Chwelm

Het beest is dood.
Het was een heel gevecht.
Het beest heeft een flinke hap uit Tristans schouder
genomen.
Maar veel tijd om daarover na te denken heeft Tristan
niet.
In de verte hoort hij stemmen.
Tristan scheurt snel zijn hemd in stukken.
De lappen bindt hij om de wond.

Dan sluipt hij naar het geluid van de stemmen toe.
Hij verstopt zich achter een dikke boom.
Een man of tien loopt vlak langs hem.
De hoofdman voorop; dat zal Chwelm wel zijn.
Tristan sluipt achter het groepje aan.
Hij wacht tot de laatste een beetje achterblijft.
Dan komt hij snel tevoorschijn en steekt de man in zijn
rug.
De rover zakt in elkaar.
Gauw pakt Tristan de helm van de rover en zet hem op.
Nu kan hij rustig achter de anderen aanlopen.
En wachten op zijn kans.
En die kans komt al snel.
Weer zakt een rover in elkaar door de dolk van Tristan.

En zo gaat het met de volgende rover. En de volgende.
En ook met de volgende vijf.

Tristan werkt snel en stil.

De andere rovers merken er niets van.

Uiteindelijk is nog alleen de hoofdman over: Chwelm.

Met Chwelm heeft Tristan meer moeite.

Hij draait zich plotseling om.

Chwelm is groot en sterk. En hij heeft een zwaard.

Tristan schiet al zijn pijlen af. Maar Chwelm wordt niet
geraakt.

Chwelm kent de weg in het moeras.

Steeds als Tristan wil vechten, is hij weer weg.

Dan ziet Tristan één van de dode rovers liggen.

Snel pakt hij hem zijn zwaard af.

En ineens staat Chwelm voor hem.

Chwelm haalt uit met zijn zwaard naar Tristan.

Die springt snel weg.

En het zwaard van Chwelm komt neer op een boomstam.

Net als de vorige keer.

Ik heb veel geluk met vechten in een moeras, denkt
Tristan.

Hij zwaait met zijn zwaard en het hoofd van Chwelm rolt
in het moeras.

Bijna dood

Tristan strompelt terug.
Het hoofd van Chwelm heeft hij bij zich.
Maar verder heeft hij alles in het moeras laten liggen.
Hij is zwaar gewond.
Door het grote beest en door Chwelm.
Hij verliest veel bloed.
Zijn krachten worden minder en minder.
Maar Tristan strompelt door. Stapje voor stapje.

Het hoofd van Chwelm wordt wel erg zwaar.
Hij snijdt een oor van Chwelm af en stopt het in zijn zak.
Het hoofd legt hij neer.
Dan zakt hij in elkaar. Van pijn en van uitputting.
Meteen komen er muggen en vliegen op hem af.
En een man ...

Tristan merkt niet dat iemand het hoofd van Chwelm meeneemt.
Hij merkt niet dat hij een tijdje later wordt opgetild.
Hij merkt niet dat iemand hem op een kar legt.
Hij merkt niet dat hij naar het kasteel wordt gereden.

Isolde verzorgt Tristan dag en nacht.
Ze wast zijn wonden en legt er kruiden op.
Ze giet druppels water tussen zijn lippen.
Ze veegt het zweet van zijn voorhoofd als hij het warm heeft.

Ze legt een dikke deken over hem heen als hij rilt van de kou.

Pas na dagen doet Tristan zijn ogen open.
Hij kijkt recht in het gezicht van Isolde.
'O Isolde', mompelt hij. 'O schoonste van alle vrouwen.'
En dan valt hij weer in slaap.
Isolde is even verward.
Ze kent die stem.
Waar heeft ze die stem toch eerder gehoord?

Schrik

Weer gaat een dag voorbij.
En dan wordt Tristan echt wakker.
Hij heeft geen koorts meer. Maar hij is nog erg zwak.

'Vertel me, onbekende ridder, wie u bent', zegt Isolde.
'Ik heb u dagenlang verzorgd en verpleegd.
Ik heb nachtenlang bij u gewaakt.
Onbekende ridder, vertel me uw naam.'

'Ik zal u mijn naam zeggen', antwoordt Tristan.
'Maar ik waarschuw u nu: uw schrik zal groot zijn.'
'Ik zal niet schrikken', zegt Isolde.
'Ik weet dat u uit liefde voor mij naar het moeras bent
gegaan. Wie u ook bent, daar zal ik steeds aan denken.'

'Ik ben Tristan van Bretagne', zegt Tristan.
En dan schrikt Isolde toch.
Tristan van Bretagne? De moordenaar van de Ierse leider?
De leider van de Ieren was haar oom!
Tristan ziet de woede in haar ogen.

'Ik ben hier naartoe gekomen als minstreel', zegt hij vlug.
'Ik heb voor u van de ware liefde gezongen.
En ik raakte mijn hart aan u kwijt, prinses Isolde.
Daarom ben ik achter Chwelm aangegaan.
Ik wilde u voor me winnen.
U bent voor mij de ware liefde.'

Isolde vergeet haar woede.

Tristan is de minstreel?

Ze kijkt nog eens goed naar het beschadigde gezicht van Tristan.

Ja, hij zou de minstreel kunnen zijn. Zijn stem klinkt ook hetzelfde.

'O, Tristan', zucht Isolde. En ze knielt voor het bed.

Dan kust ze zijn lippen.

En het enige dat Tristan kan denken is:

Hoe moet ik het haar vertellen?

Dat niet ik haar als vrouw zal krijgen.

Maar dat ze de vrouw van koning Mark wordt.

Het hoofd van Chwelm

De edelen staan om de troon van de koning van Ierland
heen.
'Kijk', zegt één van hen. 'Ik mag met Isolde trouwen.
Ik heb Chwelm gedood. Kijk maar wat ik heb.'
Hij houdt het hoofd van Chwelm omhoog.
Het hoofd dat hij van Tristan gestolen heeft.
Iedereen trekt een vies gezicht.
Maar ze knikken allemaal.
Ja, dat is het hoofd van Chwelm.
Hij mag met Isolde trouwen.

'Ik zal je bruid halen', zegt de koning.
Hij is er niet blij mee.
De koning vindt de edelman een stiekemerd.
Maar ja, hij heeft wel het hoofd van Chwelm.

Even later komt hij met Isolde binnen.
'Dat is de man met wie je zult trouwen', zegt de koning.
'Hij heeft de bende van Chwelm verslagen.'
Isolde kijkt verbaasd naar de edelman.
'O nee', zegt ze dan. 'Dat is hem niet.'

De koning kijkt geërgerd.
'Natuurlijk wel', zegt hij. 'Hij heeft toch het hoofd van
Chwelm?'
Isolde knikt. 'Ja, maar hij heeft het gestolen van de
onbekende ridder', zegt ze.

'Ik heb het zelf gezien.

Ik ben achter hem aan gereden, toen hij het kasteel verliet.

Ik vertrouw die man al een hele tijd niet.

Ik wilde weten wat hij van plan was.

Zo heb ik de onbekende ridder gevonden.

Hij was buiten bewustzijn. Het hoofd van Chwelm lag naast hem.

Deze gluiperd heeft het van hem gestolen.'

'Kun je dat bewijzen?', vraagt de koning.

'Ja', zegt Isolde.

Het oor van Chwelm

Even later komt Tristan binnen.
Hij is gekleed als ridder. Zijn helm is dicht.
'Ik heb de bende van Chwelm verslagen, heer',
zegt Tristan.
'Ik ben het moeras ingegaan uit liefde voor prinses Isolde.
Ik heb recht op haar hand.'

'Hoe kan ik weten dat u Chwelm heeft gedood?', vraagt
de koning.
'Ik was zwaar gewond', zegt Tristan.
Ik ben flauwgevallen. Het hoofd van Chwelm had ik
bij me. Maar toen ik bijkwam, was het weg. Gestolen.
Gelukkig had ik een oor van het hoofd afgesneden.
Kijk, hier is het.'
Tristan haalt het oor tevoorschijn.
De koning kijkt er verbaasd naar.
Dan kijkt hij naar het hoofd van Chwelm.
Zijn linkeroor is weg.
En het oor van Tristan past precies.

'U zult Isolde krijgen', zegt de koning.
'Maar zeg ons eerst uw naam.'
Tristan klapt zijn helm open.
'Ik ben Tristan van Bretagne', zegt hij.

Alle edelen kijken elkaar verschrikt aan.
Tristan van Bretagne? Dat is een vijand!

'Ik ben gekomen om prinses Isolde te halen',
gaat Tristan verder.
'Maar niet voor mijzelf.
Ik kom haar halen voor koning Mark van Cornwall.
Prinses Isolde zal de koningin van Cornwall worden.
Zo zal er vrede zijn tussen Ierland en Cornwall.
Dat is de reden van mijn komst.'

Tristan kijkt Isolde niet aan, terwijl hij dat zegt.
Hij weet dat ze teleurgesteld zal zijn.
Of nee, veel meer dan teleurgesteld.
Ze zal zich verraden voelen.

Een goed besluit?

Isolde staat even op haar benen te wankelen.
Wat zegt Tristan?
Hij komt haar halen voor koning Mark?
Hij heeft maar gedaan alsof hij van haar hield?
Het was gewoon een slim plannetje?

De tranen branden achter haar ogen.
Maar ze blijft een trotse prinses.
Ze laat niets merken.
Haar vader pakt haar rechterhand.
En legt die in de hand van Tristan.
'Isolde zal de vrouw van koning Mark worden', zegt hij.
'Neem haar voor koning Mark mee, Tristan. En let goed
op haar.'

Tristan maakt een buiging voor de koning.
Dan loopt hij met Isolde de zaal uit.
Hij heeft wat hij wilde. Maar erg blij is hij er niet mee.
Isolde haat hem nu, dat begrijpt hij wel.
Zij dacht dat ze met hem zou trouwen, met Tristan.
En Tristan wou dat dat waar was.

Ik zal haar nog wel uitleggen hoe het zit, denkt Tristan.
Ik zal haar nog wel vertellen dat ik echt van haar houd.
Maar dat ik een belofte heb gedaan aan koning Mark.
En een belofte mag je niet breken.
Dat begrijpt Isolde ook wel.

Maar die kans krijgt hij niet.

Isolde maakt zich klaar voor de reis naar Cornwall.

Maar ze wil Tristan niet zien.

Hij krijgt haar niet te spreken.

De brieven die hij haar schrijft, maakt ze niet open.

Tristan krijgt ze gewoon weer terug.

Hij gaat zich steeds ongelukkiger voelen.

Heeft hij het juiste besluit genomen?

Had hij Isolde niet beter voor zichzelf kunnen houden?

Tristan legt uit

Er vaart een schip rustig door de nacht.
Het is het schip van koning Mark.
Het is het schip waarmee Tristan naar Ierland is gevaren.
Nu vaart het weer terug, met Tristan en Isolde.
Morgen zullen ze bij Tintagel zijn.
Morgen wordt Isolde de bruid van koning Mark.

Tristan loopt over het dek heen en weer.
Hij móet met Isolde spreken.
Hij móet haar de waarheid vertellen.
Ze wil hem niet zien, dat weet hij.
Maar toch gaat hij naar beneden, naar het ruim.
En hij klopt op de deur van Isoldes hut.

De dienares van Isolde doet de deur open.
Tristan stapt meteen naar binnen.
'Prinses Isolde, ik moet u spreken', zegt hij. 'Alstublieft.'
Isolde zucht.
'Laat ons alleen, Brangien', zegt ze tegen haar dienares.

En Brangien gaat meteen weg.
Ik vergeet iets, denkt Brangien. Maar wat?

Isolde zit op de bank.
'Wat is er?', vraagt ze koel.
'Ik moet u uitleggen hoe het zit', zegt Tristan.
'Ik moet u vertellen wat ik voel.'

En hij vertelt van de grote vriendschap tussen hem en koning Mark.

Hij vertelt van de vreselijke belasting die aan de Ieren betaald moest worden.

De kinderen van Cornwall die als slaven moesten werken!

De enige kans op vrede tussen Cornwall en Ierland is een huwelijk.

Een huwelijk tussen koning Mark van Cornwall en prinses Isolde van Ierland.

'Ik moest u gaan halen, prinses Isolde.

Voor de koning en voor de kinderen van Cornwall.

Het spijt me dat u verliefd op me bent geworden. Echt.'

'Wat heb ik aan uw spijt?', vraagt Isolde.

'Ik dacht de ware liefde gevonden te hebben.'

Tristan pakt haar hand.

'Dat heeft u ook', zegt hij zacht.

'U bent mijn wederhelft.'

De ware liefde

Isolde kijkt Tristan verbaasd aan.
'Wederhelft? Wat bedoelt u?', vraagt ze.

'Heel heel vroeger', zegt Tristan 'zagen de mensen er
anders uit.
Ze waren een soort bol.
Een bol met twee delen: een man en een vrouw.
Twee lichamen met één ziel.
Ze waren op die manier altijd compleet.
Ze waren ook altijd gelukkig.
Maar de bolmensen werden erg eigenwijs.
Ze dachten alles beter te weten dan de goden.
En de goden werden daar kwaad om.
De baas van de goden heeft de bollen toen in tweeën
gedeeld.
Zo ontstonden er mannen en vrouwen.
Zoals wij.

Aparte mannen en vrouwen voelen zich nooit compleet.
En ze zijn ook nooit gelukkig.
Ze zijn altijd op zoek naar hun andere helft, hun
zielsverwant.
Alleen als ze hun wederhelft vinden, zijn ze weer
compleet.
Alleen als ze hun zielsverwant hebben gevonden, zijn ze
gelukkig.
En dan willen ze ook nooit meer alleen zijn.'

'Wat een prachtig verhaal', zucht Isolde.
'Heeft u dat bedacht?'
'Nee', zegt Tristan.
'Het is een oud verhaal uit Griekenland.
Een man die Plato heet heeft het bedacht.'

'Zou het waar zijn?', vraagt Isolde.
'Ik weet het niet', zegt Tristan.
'Maar het voelt wel zo.
Sinds ik u heb gezien, kan ik alleen aan u denken.
Sinds ik u ken, wil ik steeds bij u zijn.
Alleen met u samen voel ik me goed.
Alleen met u samen ben ik gelukkig.'

'Ja', knikt Isolde.
'Zo voel ik het ook.
Wij zijn elkaars wederhelft, Tristan.
Wij delen één ziel.
Dat is de ware liefde.'

De liefdesdrank

Ze pakken elkaars handen.
Ze kijken elkaar diep in de ogen.
En ze voelen zich gelukkig.

'Laten we wat drinken', zegt Tristan. 'En daarna ga ik
weg.'
Hij kijkt rond of hij iets te drinken ziet.
Daar, op een plank staat een fles.
Tristan pakt de fles en maakt hem open.
Hij ruikt even.
'Mmm, rode wijn', zegt hij. 'Lekker.'
En hij schenkt twee bekers vol.
Dan nemen ze allebei een slok.

Intussen staat Brangien op het dek.
Wat ben ik nou toch vergeten?, denkt ze.
En dan ineens weet ze het weer.
De fles op de plank!
De fles die zij gekocht heeft van de tovenaar.
De fles met de liefdesdrank voor prinses Isolde!

Brangien had medelijden met de verdrietige prinses.
Brangien had Isolde willen helpen.
Op de dag van haar huwelijk, geef ik haar die fles,
dacht Brangien.
Zij en koning Mark nemen dan vast een beker wijn.
En hup, dan zijn ze verliefd.

En dan wordt alles goed.

Ja, dat had Brangien gedacht.

Maar de wijn wordt niet door koning Mark gedronken!

Tristan en Isolde drinken er een beker van.

En dan nóg een. Want de wijn smaakt prima.

Dan kijken ze elkaar weer diep in de ogen.

Ze pakken weer elkaars handen.

En opeens zingt de zee een lied.

En de wereld ziet er heel anders uit.

Voor een moment is het paradijs in het ruim van het schip.

Eén nacht samen

Tristan weet best dat hij het niet moet doen.
En ook Isolde begrijpt heel goed dat dit echt niet kan.
Maar ze doen het toch.
Ze kussen elkaar. En weer. En nog een keer.
Dan laten ze zich op het bed van Isolde glijden.

We moeten het niet doen, denkt Isolde.
Maar de wijn maakt haar krachteloos.
Dit kan niet tegenover koning Mark, denkt Tristan.
Maar de wijn heeft zijn lichaam in vuur en vlam gezet.
Ze slaan hun armen om elkaar heen.
Ze drukken zich tegen elkaar aan.
En dan is er geen weg meer terug.

Ze hebben elkaar lief, in het ruim van het schip.
De zee deint en zij deinen mee met de golven.
'Isolde, er zal nooit een andere vrouw voor me zijn',
fluistert Tristan.
'O, Tristan, ik ben alleen van jou', fluistert Isolde terug.

De nacht is lang, en dat is maar goed ook.
Tristan en Isolde krijgen maar niet genoeg van elkaar.
Ze kussen, ze vrijen en ze liggen in elkaars armen.
Van slapen komt niet veel.
Ze begrijpen heel goed dat ze van deze nacht moeten
genieten.
Ze begrijpen heel goed dat hun liefde morgen voorbij is.

Want dan wordt Isolde de vrouw van koning Mark.

Maar morgen is nog ver weg.

Alleen nu telt.

Nu is de wereld even het paradijs.

Nu zijn ze geliefden, Tristan en Isolde.

Op het dek van het schip zit Brangien.

Ze hoopt maar dat de fles met liefdesdrank nog vol is.

Ze hoopt dat Tristan en Isolde er niet van gedronken hebben.

De schuld van Brangien?

De zon komt op.
Tristan ziet het door een van de raampjes.
De lucht kleurt rood en dan oranje.
Het ziet er prachtig uit.
Maar voor Tristan brengt de nieuwe dag niet veel goeds.
En voor Isolde ook niet.

'Wil je Brangien even roepen?', vraagt Isolde.
'Zij moet mij helpen met aankleden.'
Tristan kust Isolde nog één keer.
Dan gaat hij op zoek naar Brangien.

Ze zit nog steeds op het dek.
Ze hoopt en bidt dat de fles niet is geopend.
'Brangien', zegt Tristan. 'Prinses Isolde heeft je nodig.'
Brangien kijkt op.
Voor haar staat Tristan, met verwarde haren.
Hij heeft alleen zijn hemd aan.
O nee, denkt Brangien. En ze holt naar het ruim.
En ja hoor, daar staat de fles. Half leeg.

'Prinses Isolde, het spijt me zo', huilt Brangien.
'Het is allemaal mijn schuld. Nu houdt u van prins Tristan
en hij houdt van u. Dat was niet de bedoeling.'
'Wat bedoel je?', vraagt Isolde.
'Ja, we houden van elkaar. Maar dat is jouw schuld niet,
Brangien.'

'Jawel', snikt Brangien.
'Ik heb die toverdrank gekocht. Voor u en koning Mark.
Maar u heeft hem te vroeg gedronken.'
Isolde glimlacht.
'Geen enkele toverdrank kan zorgen voor je zielsverwant',
zegt ze.
'Geen enkele liefdesdrank laat je je wederhelft
ontmoeten.
Nee, Brangien. Jij hebt geen schuld. Echt niet.
Ik hield al van Tristan toen hij op het kasteel kwam
zingen.
Met zijn prachtige woorden heeft hij toen mijn hart al
veroverd.'

Brangien wrijft de tranen uit haar ogen.
Ze is wel blij dat Isolde haar niet schuldig vindt.
Maar zelf weet ze wel beter. Natuurlijk was het de
toverdrank.
Je wordt niet zomaar verliefd!

Isolde en Mark

Isolde kleedt zich prachtig aan voor koning Mark.
Ze doet een roze jurk aan.
Brangien vlecht Isoldes haar.
En dan draait ze de vlechten om haar oren.
Nu nog een rode haarband met parels.
En dan is ze klaar.
Klaar voor koning Mark.

Koning Mark staat op het dek op Isolde te wachten.
Hij is best zenuwachtig.
Hoe zal ze zijn, zijn toekomstige vrouw?
'Heer, dit is Isolde van Ierland', zegt Tristan.
Hij loopt over het dek met Isolde aan zijn arm.
Dan legt hij Isoldes hand in die van koning Mark.
'Isolde, wat ben je mooi', zucht koning Mark.
'Heer, ik ben gekomen voor het belang van Cornwall',
antwoordt Isolde.
En koning Mark begrijpt het meteen.
Ze trouwt niet met hem uit liefde.

Even glimlacht hij.
'Ik begrijp het', zegt hij.
'Maar ook een koning heeft een hart.
En soms smelten harten samen tot één ziel.'
Isolde kijkt even verbaasd op.
'Zielsverwanten', zegt ze zacht.
En koning Mark knikt.

Shit, denkt Tristan.

Koning Mark is verliefd aan het worden.

En het lijkt erop dat Isolde dat wel leuk vindt.

Er gaat een steek door zijn hart.

Hij is echt jaloers. Voor het eerst in zijn leven.

Natuurlijk wil hij dat koning Mark een lieve vrouw heeft.

Maar niet Isolde! Isolde is van hem!

Met tegenzin loopt hij naar Tintagel.

Tintagel, waar alles al is klaargemaakt voor het huwelijk.

De bruiloft

Het bruiloftsfeest is ruig, zoals alle bruiloften zijn in die tijd.
Er wordt veel gedronken.
Er wordt veel gezongen.
Er wordt veel gegeten.
En er wordt gevochten.
Isolde vindt er niet veel aan.
Maar ze had ook niets anders verwacht.

Ze zit stilletjes naast koning Mark.
Hij vindt er ook niet veel aan.
Maar hij voelt zich erg gelukkig met Isolde.
Ze is veel mooier en veel slimmer dan hij had gedacht.
Ik ben een geluksvogel, denkt hij.
Ik heb zo'n prachtige vrouw.
En ik heb er bijna niets voor hoeven doen.

Tristan is ook stil.
Hij drinkt niet, hij zingt niet, hij vecht niet.
Hij eet wel wat, maar niet veel.
Hij zit maar naar Isolde te kijken.
Ik ben een pechvogel, denkt hij.
Ik heb zo'n prachtige vrouw veroverd.
En dan moet ik haar weggeven.

Tristan is jaloers.
Hij probeert het niet te zijn.

Maar dat lukt niet erg.

Iedere keer als hij naar de koning kijkt denkt hij:

Hij mag straks met haar naar bed.

En ik moet alleen slapen.

Het is niet eerlijk, want ze houdt van mij.

Ze hoort in mijn bed te liggen.

En Isolde denkt ongeveer hetzelfde.

Het is niet eerlijk, denkt Isolde.

Ik moet straks met Mark naar bed.

Natuurlijk, hij is een goede man. En hij is de koning.

Maar ik houd niet van hem.

Ik houd van Tristan. Ik wil in zijn bed liggen.

Om middernacht is het feest afgelopen.

Koning Mark en koningin Isolde gaan naar hun
slaapkamer.

Alle gasten lopen lachend mee.

Alleen Tristan niet.

Hij blijft in z'n eentje aan tafel zitten.

De huwelijksnacht

Het is een mooie slaapkamer.
Er staat een groot hemelbed in.
Koning Mark heeft dat speciaal voor zijn bruid laten
maken.
'Hoe vind je het?', vraagt hij vol verwachting.
'Mooi, hoor', zegt Isolde.
Ze loopt naar het raam en kijkt naar buiten.
Ze kijkt uit op de binnenplaats, waar het feest was.
Ze ziet Tristan alleen aan tafel zitten.

'Kom', zegt koning Mark. 'Kom Isolde.
Deze nacht is een belangrijke nacht.
Deze nacht zal ik een vrouw van je maken.'
O, hemel, denkt Isolde.
Hij denkt natuurlijk dat ik nog maagd ben.
Hij denkt dat ik nog nooit samen ben geweest met een
man.

Ze aarzelt even. Moet ze het hem vertellen?
Nee, dat is geen goed idee.
Dan wordt koning Mark natuurlijk jaloers.
Hij zal willen weten met wie ze samen was.
En als hij hoort dat het Tristan was ...
Nee, vertellen dat is geen goed idee.

Koning Mark is heel lief voor Isolde.
Hij begrijpt wel dat ze niet stapelverliefd op hem is.

Ze kent hem nog maar net.
Hij raakt haar zachtjes aan.
Hij kust haar voorzichtig op haar wang.
Hij strijkt met zijn hand over haar haar.
Dan maakt hij rustig haar jurk los.
Isolde aait even over zijn wang.
Hij pakt haar hand en kust die.
'Kom', zegt hij weer. En hij trekt haar op het bed.

Het is niet akelig om met Mark te vrijen.
Maar het lijkt niet op de nacht met Tristan.
Toen was ze in het paradijs. Toen zong de zee een lied.
Dat was liefde. Dit is seks.
Voor Isolde dan. Voor Mark is het anders.
Zijn hart klopt voor Isolde.

Jaloers

Tristan ligt de hele nacht wakker.
Wat zouden ze nu doen?, denkt hij steeds.
En als hij eraan denkt dat ze samen vrijen, maakt hij
vuisten van zijn handen.
Dit houd ik nooit vol, denkt hij.
Ik moet een oplossing bedenken.
Maar er is geen oplossing.
Isolde is de vrouw van een ander.
Daar is niets meer aan te doen.

Overdag probeert Tristan Isolde te <u>ontwijken</u>.
En als hij haar toch tegenkomt, kijkt hij haar niet aan.
Isolde doet hetzelfde.
Ze hopen dat hun liefde zo wel zal overgaan.
Maar dat gebeurt niet.
's Nachts kan Tristan zijn hoofd wel tegen de muur slaan.
En Isolde vrijt zonder vreugde met koning Mark.

'Waarom kun je mij <u>je hart niet geven</u>, Isolde', vraagt hij.
'Je moet geduld hebben', antwoordt Isolde.
'Kan ik iets doen om je gelukkig te maken?', vraagt Mark
weer.
Maar Isolde schudt haar hoofd.
'Je bent lief voor me', zegt ze.
'Je bent een goed mens.
Ik zal van je leren houden, dat weet ik zeker.
Maar ik heb meer tijd nodig, Mark.'

En dan, op een dag, gebeurt er wat niet gebeuren mag.

Isolde en Tristan komen elkaar tegen.

Er is niemand in de buurt.

Ze staan samen in een klein gangetje.

En ze vliegen elkaar in de armen.

Ze kussen en strelen elkaar.

Ze fluisteren lieve dingen.

Dat ze elkaar zo missen.

Dat ze dag en nacht aan elkaar denken.

Ze fluisteren ook ondeugende dingen.

Tristan zegt dat hij Isoldes prachtige borsten steeds voor zich ziet.

Isolde fluistert dat ze 's nachts net doet of Tristan bij haar in bed ligt.

Stiekeme liefde

Ze gaan afspraakjes maken.
Als Mark weg is, komt Tristan op Isoldes kamer.
Of ze ontmoeten elkaar in het bos.
En dan blijft het niet bij kussen en strelen.
Ze kijken wel goed uit. Niemand mag hen zien.
Alles moet stiekem gebeuren.
En niemand ziet hen ook.

Maar een zo grote liefde is moeilijk geheim te houden.
De edelen zien dat Tristan en Isolde af en toe naar elkaar
kijken. Ze merken dat Tristan vaak niet te vinden is.
En dan is Isolde ook weg.
Ze roddelen met elkaar over Tristan en Isolde.
Zouden die twee samen ...? Ze gaan wel erg vaak naar het
bos, naar een plek aan de rivier ...

Koning Mark hoort die roddels ook.
Hij gelooft er niets van.
Maar toch gaat hij beter opletten.
En het valt hem ook op dat ze vaak alle twee niet te
vinden zijn.
En dat ze vaak stiekem naar elkaar kijken.
Ik moet het zeker weten, denkt hij.

'Tristan', zegt hij op een ochtend.
'Ik ben vandaag de hele dag weg. Ik ga jagen op de
velden.'

En koning Mark vertrekt op zijn paard.

Tristan gaat meteen naar Isolde.

'Laten we elkaar ontmoeten in het bos', zegt Isolde.

'Het is zo'n prachtig weer. Je weet wel, de plek bij de rivier.'

Ze weten niet dat koning Mark daar naartoe is gereden.

Hij heeft zich verstopt in een boom.

Tristan is het eerst op de afgesproken plek.

Hij gaat zitten wachten, aan de waterkant.

En dan ziet hij, in de spiegel van het water, koning Mark in de boom zitten!

Hij begrijpt het meteen.

Roddels

Even later komt Isolde aanlopen.
Ze wil naar hem toe rennen, maar Tristan maakt een
buiging.
Dat verbaast haar zo, dat ze stilstaat.
'Koningin Isolde', zegt Tristan. 'Ik heb slecht nieuws.'
Isolde loopt langzaam naar hem toe.
En dan ziet ze ook het spiegelbeeld van koning Mark in
de rivier.
'Wat wilt u tegen me zeggen?', vraagt ze.

'In het kasteel wordt geroddeld', zegt Tristan.
'Over ons. Over u en mij.
Het spijt me zeer, majesteit, maar het is de waarheid.
Ze denken dat wij een liefdesrelatie hebben.
Ze denken dat wij elkaar stiekem ontmoeten.
Ik vermoed dat ook uw echtgenoot die roddels heeft
gehoord.
Ik weet niet of koning Mark ze ook gelooft.
Hij is mijn oom en mijn vriend. Hij is uw man.
Ik hoop dat hij ons vertrouwt.
En dat hij de roddelaars niet gelooft.'

'Het is vreselijk', antwoordt Isolde.
'Ik heb die roddels ook gehoord.
Brangien vertelde het me.
Ik weet niet wat ik ertegen moet doen.
Tegen kwade tongen kan ik me niet verdedigen.'

'Geef me uw hand, majesteit', zegt Tristan dan.
'Ik zal u naar het kasteel terugbrengen.'
Dan lopen ze samen weg.
Koning Mark komt uit de boom.
Hij is helemaal gerustgesteld.
Er is niets aan de hand tussen Tristan en Isolde.

Maar Tristan en Isolde voelen zich niet prettig.
'Ik vind het rot om hem te bedriegen', zegt Isolde.
'Hij is een lieve, eerlijke man. Hij verdient een lieve,
eerlijke vrouw.'
'Je bent van hem gaan houden', zegt Tristan verdrietig.
'Ja', zegt Isolde. 'Maar niet zoals ik van jou houd.
Van jou houd ik met mijn hart, met mijn ziel.
Van Mark houd ik met mijn verstand.'

Nog meer roddels

Koning Mark is een poosje heel gelukkig en tevreden.
Isolde is lief tegen hem.
Hij merkt dat ze steeds meer om hem geeft.
En van een relatie met Tristan is geen sprake.
Dat weet hij zeker.

Even was hij vreselijk jaloers op Tristan.
Tristan is jonger, sterker, mooier dan hij.
Hij heeft al grijze haren en hij loopt met een stok.
Natuurlijk vindt Isolde zo'n jonge vent aantrekkelijker.
Hij had zijn stok door de kamer gegooid.
'Waarom ben ik zo'n hinkepoot', had hij geroepen.
'Ik wil ook hard kunnen lopen en een goede strijder zijn.'
Maar die jaloezie is nu over.

Toch gaan de roddels door in het kasteel.
En weer wordt koning Mark er onrustig van.
Hij vindt het vreselijk dat hij zijn vrouw niet vertrouwt.
Hij vindt het verschrikkelijk dat hij zijn vriend verdenkt.
Maar hij kan er niets aan doen.

En ... de roddels zijn waar.
Nog steeds maken Tristan en Isolde stiekem afspraakjes.
Nog steeds vallen ze in elkaars armen als niemand hen
ziet.
En op een dag komt het uit.
Want geheime liefdesrelaties komen altijd uit.

Ze zitten samen op het hemelbed, als Mark binnenkomt.
Ze zijn niet naakt, ze liggen niet in elkaars armen.
Ze zitten keurig naast elkaar.
Maar ze hebben wel elkaars handen vast.
En dat maakt koning Mark woedend.

Hij laat Tristan opsluiten in de torenkamer.
Hij laat Isolde opsluiten in haar kamer.
'Morgen zal ik recht spreken', zegt hij kwaad.
En zijn hart is zwaar en bedroefd.
Want hij weet al wat hij zal moeten doen ...

De ontsnapping

Koning Mark zit in de grote zaal van het kasteel.
Vandaag is hij rechter.
Hij moet beslissen wat er gaat gebeuren met Tristan. En met Isolde.
De edelen roepen om het hardst: 'Tristan moet gedood worden.'
Want zij hadden altijd al een hekel aan hem.
'Ga Tristan uit de torenkamer halen', zegt koning Mark tegen een knecht.

Even later is de knecht weer terug.
'Tristan is ontsnapt, heer', zegt hij.
'Tristan is uit de toren naar beneden gesprongen.'
'Dat is onmogelijk', zegt koning Mark.
'De toren is daar veel te hoog voor.
En Tristan heeft geen vleugels.
Ga onderaan de toren zoeken.
Daar moet Tristans lichaam zijn.'

De knecht doet wat hem is gezegd.
Maar hij kan Tristan nergens vinden.
Hij vindt wel de cape van Tristan.
Die brengt hij naar koning Mark.
Koning Mark kijkt peinzend naar de cape.
Die heeft Tristan als valscherm gebruikt, denkt koning Mark.
En dat vindt hij eigenlijk heel slim van Tristan.

Dan wordt Isolde gehaald.
Ze loopt trots door de zaal naar koning Mark toe.
'Wat heb je mij te zeggen?', vraagt Mark.
'Het maakt niet uit wat ik zeg', antwoordt Isolde.
'Het enige wat belangrijk is, is wat u denkt.
Als u denkt dat ik schuldig ben, dan ben ik schuldig.
Als u denkt dat Tristan u verraden heeft, dan is dat zo.'

Koning Mark denkt na.
Het is wel waar wat Isolde zegt.
Hoe kan hij bepalen of iemand schuldig is?
Hij is niet helderziend.

'Vraag het de monnik in het bos', zegt een van de edelen.
Koning Mark knikt. Dat is een goed idee.
De monnik in het bos is blind.
Maar hij kan diep in het hart van de mensen kijken.
Hij zal weten of Isolde de waarheid spreekt.

Een plan

Intussen zit Tristan in het bos.
Hij heeft zich verkleed als monnik.
Met de kap over zijn hoofd kan niemand hem herkennen.

Ik heb die sprong uit de toren overleefd, denkt hij.
Dat was een wonder. Maar ik had net zo goed dood
kunnen zijn.
Wat moet ik verder met mijn leven doen?
Koning Mark zal me willen doden.
Ik zal mijn hele leven voor hem moeten vluchten.
Dat is geen leven.

'Goedemiddag, monnik', zegt een boer die langsloopt.
'Goedemiddag boer', antwoordt Tristan.
'U bent zeker op weg naar de wijze Dwendelyn', zegt de
boer.
'De wijze Dwendelyn?', herhaalt Tristan verbaasd.
Hij kent die naam wel.
Dwendelyn is de blinde monnik. Hij woont eenzaam in
het bos.
'Ja, monnik. Vanmiddag wordt koningin Isolde naar hem
toe gebracht.
Dwendelyn moet in haar hart kijken.
Dwendelyn moet bepalen of zij de waarheid spreekt.'

Tristan staart even voor zich uit.
Dit is zijn kans!

Als hij het handig aanpakt, kan alles nog goed komen.

'Inderdaad boer', zegt Tristan.

'Ik ben op weg naar de wijze Dwendelyn.

Maar ik ben verdwaald. Kunt u mij de weg wijzen?'

De boer wijst Tristan de weg naar de blinde monnik.

'Volg de rivier, dan komt u er vanzelf', zegt hij.

Blij loopt Tristan naar de hut van de monnik.

Daar gaat hij zitten wachten.

Na een paar uur klinkt er rumoer in de verte.

Tristan loopt naar de rivier.

Daar is de boot van koning Mark.

Mark en Isolde staan beiden op het dek.

De boot drijft langzaam naar de kant.

Maar hij bereikt de kant niet helemaal.

Isolde zal een stukje door het water moeten lopen.

Dwendolyn

Tristan loopt door het water tot aan de boot.
'Laat mij de koningin naar het strand dragen', zegt hij.
'In mijn armen zal ze veilig zijn.'
Koning Mark knikt dat het in orde is.
Hulp van een monnik, dat is een goed teken.

Isolde pakt de hand van de monnik.
Dan tilt de monnik haar uit de boot.
Met Isolde in zijn armen loopt hij naar het strand.
'Isolde, ik ben het: Tristan', fluistert hij.
'Dat zag ik al', antwoordt Isolde zachtjes.
En dan zet de monnik de koningin neer op het strand.

Rechtop loopt Isolde naar de hut van Dwendolyn.
Leunend op zijn stok komt de oude monnik tevoorschijn.
Hij weet al wat er van hem verwacht wordt.
Hij moet in het hart van de koningin kijken.
En zien of zij de waarheid spreekt.

Isolde buigt voor Dwendolyn. Ze weet wel dat hij dat niet
kan zien. Maar ze wil niet onbeleefd zijn.
Dwendolyn legt zijn hand op Isoldes hoofd.
'Spreek, mijn kind', zegt hij.
En hij knikt haar vriendelijk toe.

Dan begint Isolde te spreken: 'Ik zweer u dat alleen
koning Mark mij in zijn armen heeft gehouden ...'

Isolde stopt even. Maar dan gaat ze verder:
'en de monnik die mij aan land heeft gedragen.'

Dwendolyn houdt zijn hand lang op het hoofd van Isolde.
Dan knikt hij.
'De koningin spreekt de waarheid', zegt hij.
En hij verdwijnt weer in zijn hut.

Koning Mark heeft tranen in zijn ogen.
Hij loopt op Isolde af.
'Het spijt me, Isolde', zegt hij.
'Ik zal je nooit meer wantrouwen.'

Van misdadiger tot held

Koning Mark en koningin Isolde varen weer naar Tintagel.
'Ik hoop dat Tristan terugkomt', zegt koning Mark.
'Ik heb hem onschuldig opgesloten.
Daarom is hij uit de toren gesprongen.
Het was te erg voor hem dat ik hem opsloot.
Het was te erg voor hem dat ik hem niet vertrouwde.
Ik, zijn beste vriend.
Hij heeft zoveel voor mij en Cornwall gedaan.
En ik, ik was een jaloerse gek.
Ik luisterde naar gemene roddels.
O, ik hoop toch zo dat Tristan terugkomt.
Dan kan ik hem zeggen hoe erg het me allemaal spijt.'

Isolde knijpt even in zijn hand.
'Tristan zal zeker terugkomen naar Tintagel', zegt ze.
'Hij zal horen wat Dwendolyn gezegd heeft.
En hij zal begrijpen dat hij welkom is.'
'Ik hoop het', zucht koning Mark.

's Middags staat Isolde voor het venster in haar kamer.
Ze kijkt uit over de rotsen en de zee.
'Waar ben je, Tristan', fluistert ze.
'Waar o waar kun je zijn?'

En dan ziet ze, in de verte, een man aankomen.
Hij loopt over het groene gras.
Hij komt steeds dichterbij.

Het is geen monnik die daar aankomt.
Het is een grote, sterke man, met bruin haar.
'Tristan', snikt Isolde.
En ze holt naar koning Mark toe.
'Tristan komt eraan', zegt ze.

En ook koning Mark is blij.
Hij laat een feestmaal klaarmaken.
Hij laat wijn en bier uit zijn kelder halen.
Tristan heeft Tintagel verlaten als een misdadiger.
En hij komt terug als een held.

Afscheid

Ze begrijpen alle twee dat het niet langer kan.
Ze houden nog steeds van elkaar.
Dat is niet veranderd.
Ze weten ook dat ze altijd van elkaar zullen houden.
Maar bij elkaar blijven, dat is onmogelijk.

'We zouden toch weer stiekem afspraakjes gaan maken',
zegt Tristan.
En Isolde knikt.
'Ze zouden toch weer gaan roddelen over ons', zegt
Tristan.
En Isolde knikt.
'En op een dag zou koning Mark ons betrappen', zegt
Tristan.
En weer knikt Isolde.

'We kunnen niet bij elkaar in de buurt wonen', zegt
Isolde.
Tristan schudt zijn hoofd.
'We moeten elkaar ook niet schrijven', zegt Isolde.
Weer schudt Tristan zijn hoofd.

'Dit is ons afscheid', zegt Tristan zacht.
Hij neemt Isoldes hoofd tussen zijn handen.
Hij kust haar lippen.
En hij kust de tranen van haar wangen.
'Ik zal teruggaan naar Bretagne', zegt Tristan.

'Ik zal teruggaan naar het land van mijn vader.
Ik zal een goede koning zijn voor de mensen in Bretagne.
Zoals koning Mark een goede koning is voor de mensen
in Cornwall.
Ik zal mijn leven daar leven.
En iedere dag, ieder uur zal ik denken aan jou.
En ik zal blij zijn, omdat ik weet wat ware liefde is.'

Isolde is een hele tijd stil.
'En ik blijf hier', zegt ze verdrietig.
'Je zult gelukkig worden met Mark', zegt Tristan.
'Hij is een goed mens. Hij verdient jouw liefde.
Het zal een ander soort liefde zijn. Maar toch ook
waardevol.
En als je eens bedroefd bent … denk dan aan ons.
En bedenk dat het bijzonder is, de liefde die wij kennen.
Maar weinig mensen maken het mee.
Wees er dankbaar voor.'

In de vroege ochtend van de volgende dag vertrekt Tristan.

Isolde kijkt hem na vanuit het raam in haar slaapkamer.

Ze weet dat ze hem nooit zal terugzien …

Woordenlijst

Bretagne
Bretagne is een streek in het noordwesten van Frankrijk.

Cornwall
Cornwall is een streek in het zuidwesten van Engeland.

Edelen
Edelen zijn mensen van adel. In de middeleeuwen
hadden edelen veel macht.

Iemand je hart geven
Als je iemand je hart geeft, houd je van hem of haar.

Iemands hand winnen
Als je de hand van een vrouw wint, dan gaat ze met je
trouwen.

Minstreel
Een minstreel is een liedjeszanger uit de middeleeuwen.

Ontwijken
Iemand ontwijken is proberen hem niet tegen te komen.

Rechtspreken
Rechtspreken is wat een rechter doet. Vroeger was de
koning ook rechter. Koning Mark kan dus zelf bepalen wat
er met Tristan en Isolde gebeurt.

Schaken

Het woord schaken heeft twee betekenissen: het spel
'schaken' spelen en iemand ontvoeren.

Tegen kwade tongen kan ik me niet verdedigen

Als mensen kwaad spreken, kun je daar niets tegen doen.

Tweegevecht

Een tweegevecht is een gevecht tussen twee mannen.

Valscherm

Een valscherm is een parachute.

Verdobbeld

Dobbelen is met dobbelstenen gooien. Vroeger werd dat
spelletje gedaan om geld. Als je iets verdobbeld hebt,
dan heb je dat met dobbelen verloren.

Wild zwijn

Wilde zwijnen zijn wilde varkens. In Nederland leven ze
op de Veluwe.

Ook verkrijgbaar in de reeks Beroemde Liefdesverhalen:

Shakespeare

Romeo en Julia

Het bekendste liefdesverhaal van de wereld. Iedereen zou dit verhaal eigenlijk een keer 'moeten' lezen.

Bij hun eerste ontmoeting worden Romeo en Julia meteen verliefd. Maar het is een verboden liefde: hun families hebben al jaren ruzie. Romeo en Julia kunnen niet meer zonder elkaar, wat moeten ze doen?

88 pagina's | ISBN 978 90 8696 058 3 | € 14,50

De serie Beroemde Liefdesverhalen maakt de mooiste liefdesgeschiedenissen toegankelijk voor mensen die moeite hebben met lezen. Marian Hoefnagel, auteur van de Reality Reeks, bewerkt de verhalen voor deze serie. Regelmatig verschijnt er een nieuw liefdesverhaal.

Meer informatie of bestellen?
Kijk op www.eenvoudigcommuniceren.nl
of www.lezenvooriedereen.be.